# MÉTAUX
## ET ALLIAGES

L'édition originale de cet ouvrage a paru
sous le titre: *Metals and Alloys*
Copyright © Aladdin Books Limited 1987,
70, Old Compton Street, London WI

Adaptation française de Jean-Pierre Dumont
Illustrations de Louise Nevett et Simon Bishop
Copyright © Éditions Gamma, Tournai, 1988
D/1988/0195/10
ISBN 2-7130-0897-2
(édition originale: ISBN 086313 615 X)

Exclusivité au Canada:
Les Éditions Héritage Inc., 300, avenue Arran,
Saint-Lambert, Qué. J4R IK5
Dépôts légaux, 2e trimestre 1988,
Bibliothèque nationale du Québec
Bibliothèque nationale du Canada
ISBN 2-7625-5028-9

Imprimé en Belgique

# SOMMAIRE

### Origine des photographies:

Couverture, pages 13 et 25: Tony Stone Associates;
page de titre: Topham Picture Library;
pages 4-5: Art Directors;
pages 6, 9 (en haut) et 16: Robert Harding;
pages 8 et 21: Anglo-American Corporation;
pages 9 (en bas) et 10: Hutchinson Library;
pages 15 et 23: Paul Brierley;
page 18: Vanessa Bailey;
page 19: Leo Masson;
page 20: Spectrum.

RESSOURCES D'AUJOURD'HUI

# MÉTAUX
# ET ALLIAGES

## Kathryn Whyman - Jean-Pierre Dumont

Éditions Gamma - Éditions Héritage Inc.

# QU'EST-CE QU'UN MÉTAL?

Les métaux jouent un rôle important dans notre vie. C'est avec eux que nous fabriquons voitures, trains, avions et toutes les machines utilisées dans les industries. Nous les employons pour construire des ponts et des habitations.

Si vous regardez autour de vous, vous remarquerez que les métaux servent à bien des usages. Ainsi le cuivre peut être étiré en fils dont on fait des câbles électriques. L'aluminium laminé en feuilles très minces est une solution idéale pour certains revêtements.

De nombreux métaux sont bons conducteurs d'électricité

L'univers est composé de milliers de matières différentes : eau, sel, bois, pour n'en citer que quelques-unes. Toutes ces matières contiennent une ou plusieurs des quelque cent substances de base appelées «éléments». Soixante-dix de ces éléments sont des métaux. Malgré leurs particularités propres, les métaux ont des points communs. Ils sont tous brillants, bons conducteurs de chaleur et d'électricité. Ils peuvent être mélangés pour former alors des produits que l'on nomme «alliages». Le laiton et le bronze en sont des exemples.

# D'OÙ VIENNENT LES MÉTAUX?

C'est dans le sol — sous forme de minerais — que l'on trouve les métaux. Certains se présentent parfois à l'état pur — le cuivre, l'or, l'argent, le platine — mais généralement ils sont alliés à d'autres éléments. Ainsi, le fer et l'aluminium sont souvent associés à l'oxygène. La plupart des minerais sont disséminés dans les roches ; quand ils sont concentrés en grandes quantités, ils méritent d'être exploités. Ces concentrations s'appellent des «gisements». Les géologues, qui ont étudié la formation des roches et qui savent repérer la position des filons de minerai, proposent alors des terrains à la prospection. Si les recherches entreprises sont concluantes, une mine peut être ouverte et exploitée.

Extraction de «carottes» pour mesurer la teneur en or de la roche

On voit ci-dessous comment les métaux peuvent se concentrer dans la croûte terrestre. Des poches de magma — des roches fondues — y sont enfermées ça et là. Quand celui-ci se refroidit, des roches solides se forment mais il reste un liquide, un mélange d'eau très chaude et de minéraux. Si ce mélange réagit avec les roches voisines, il y dépose du minerai (1). Les eaux chaudes peuvent aussi s'infiltrer par des fissures dans les couches de roche (2) et entrer en réaction avec certaines, tels les calcaires (3), ou s'infiltrer dans les laves des volcans (4). L'eau de pluie (5) et l'eau provenant de mers anciennes (6) peuvent se réchauffer et déposer les minerais dans des crevasses ou resurgir du fond marin (7). Les fleuves également peuvent charrier des minerais et les déposer dans la mer.

Dans le schéma de droite: un gisement de minerai débarrassé des roches qui l'entouraient.

Volcan

Eau de pluie

8

3

5

2

6

7

Eau de mer

Surface du sol

1

Magma

Roche refroidie

# OUVRIR UNE MINE

Une fois le métal repéré, l'étape suivante consiste à évaluer la quantité enfouie et l'intérêt de son exploitation. Heureusement, des gisements considérables sont situés près de la surface du sol. Une exploitation en surface s'appelle «mine à ciel ouvert». Les mineurs emploient de gros engins — des excavateurs — pour déplacer les terres et les roches qui recouvrent le gisement. Si la veine est dure, ils utilisent des explosifs pour la rompre.

L'exploitation souterraine est beaucoup plus dangereuse. Un puits profond, d'où rayonneront plusieurs galeries, est alors creusé. Le minerai est dynamité.

Quand le gisement est sous eau, on procède par dragage. Le minerai est ensuite séparé des autres roches.

En Afrique du Sud, des mines d'or atteignent des profondeurs de 3 800 m

Malaisie : extraction de l'étain à la drague

Mine de cuivre à ciel ouvert : des excavateurs chargent les déblais sur des wagons

# LE FER

De tous les métaux, le fer nous est le plus utile, surtout parce qu'il peut être transformé en acier. Il est aussi l'un des plus répandus. Sa production dépasse celle de l'ensemble des autres métaux.

La plupart des minerais de fer sont un composé chimique de fer, d'oxygène et de silicium. Avant que le métal puisse être utilisé, il doit être débarrassé de ces deux derniers éléments par un traitement appelé «fusion» qui s'exécute habituellement dans un haut fourneau. Devenu liquide à haute température, le métal est évacué sous forme de coulée. Une partie de celle-ci est versée dans des moules de sable pour obtenir des pièces de fonte, qui seront utilisées notamment dans l'industrie automobile.

Le fer peut aussi être fondu dans un four électrique

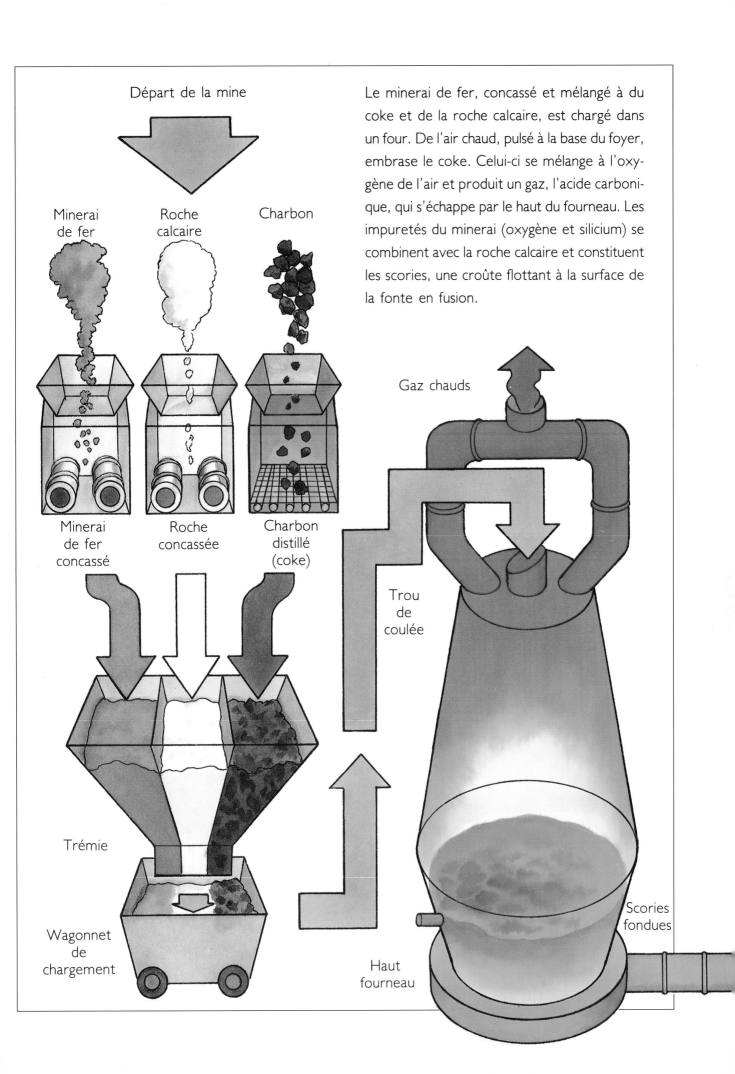

Départ de la mine

Minerai de fer

Roche calcaire

Charbon

Le minerai de fer, concassé et mélangé à du coke et de la roche calcaire, est chargé dans un four. De l'air chaud, pulsé à la base du foyer, embrase le coke. Celui-ci se mélange à l'oxygène de l'air et produit un gaz, l'acide carbonique, qui s'échappe par le haut du fourneau. Les impuretés du minerai (oxygène et silicium) se combinent avec la roche calcaire et constituent les scories, une croûte flottant à la surface de la fonte en fusion.

Minerai de fer concassé

Roche concassée

Charbon distillé (coke)

Gaz chauds

Trou de coulée

Trémie

Wagonnet de chargement

Haut fourneau

Scories fondues

# LA FABRICATION DE L'ACIER

La fonte se brise facilement, car elle contient un pourcentage élevé de carbone provenant du coke utilisé dans le haut fourneau. Mais la fonte peut être transformée en acier, un alliage beaucoup plus solide.

L'acier, comme la fonte, contient du carbone mais en quantité moindre. Au lieu d'affaiblir le métal, cette petite proportion de carbone le renforce. L'acier est le métal le plus utilisé dans le domaine de la construction, car il est extrêmement résistant et relativement peu coûteux. Acier et fer doux ont la propriété de pouvoir être aimantés.

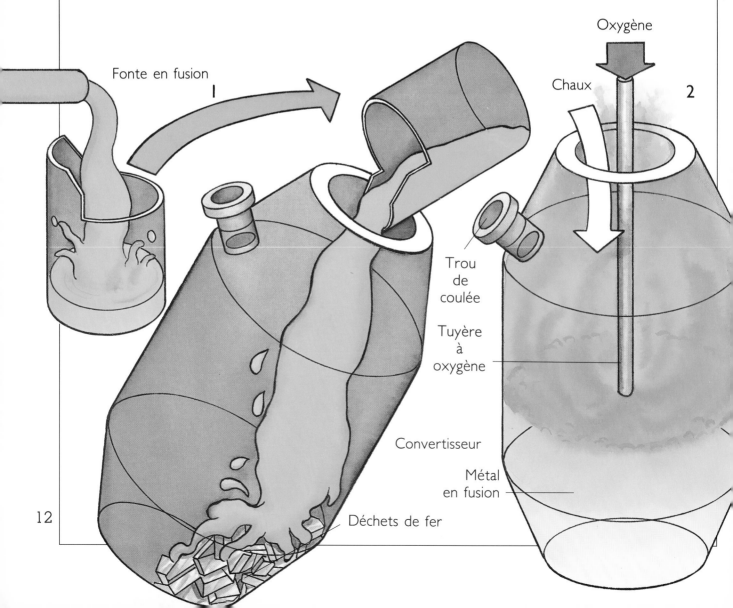

Fonte en fusion

1

Oxygène

Chaux

2

Trou de coulée

Tuyère à oxygène

Convertisseur

Métal en fusion

Déchets de fer

Fonte liquide et déchets de fer sont versés dans un énorme récipient conique appelé « convertisseur » (1). Une lance projette violemment un jet d'oxygène (2) qui atteint le métal et brûle le carbone pour n'en laisser que la quantité utile à la fabrication de l'acier. De la chaux se mêle aux impuretés pour former les scories qui flottent à la surface de cet acier. Quand le convertisseur est incliné, l'acier et les scories (laitier) sont versés dans des poches séparées (3 et 4).

Fabrication de l'acier

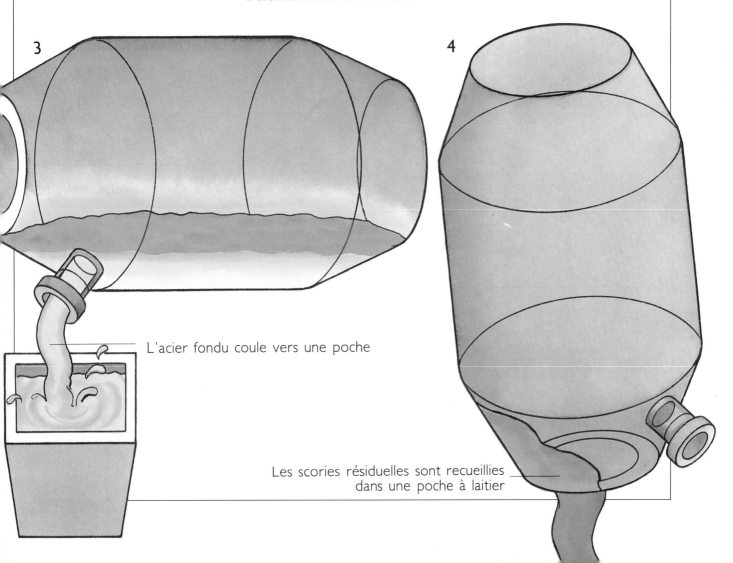

3

4

L'acier fondu coule vers une poche

Les scories résiduelles sont recueillies dans une poche à laitier

# L'ALUMINIUM

L'aluminium est également un métal très demandé. Ses propriétés principales sont sa légèreté et, du moins après traitement, sa solidité. Pour son prix avantageux, il est considéré comme le meilleur conducteur de la chaleur et de l'électricité. On l'utilise souvent pour fabriquer des casseroles et pour poser des lignes électriques.

L'aluminium est extrait d'une roche, la bauxite, dans laquelle il est mélangé à divers éléments, dont l'oxygène. Un procédé appelé «électrolyse» se sert de l'électricité pour obtenir un métal presque pur.

Par ailleurs, l'électrolyse s'emploie aussi pour purifier certains métaux après leur fusion. C'est le cas notamment du cuivre.

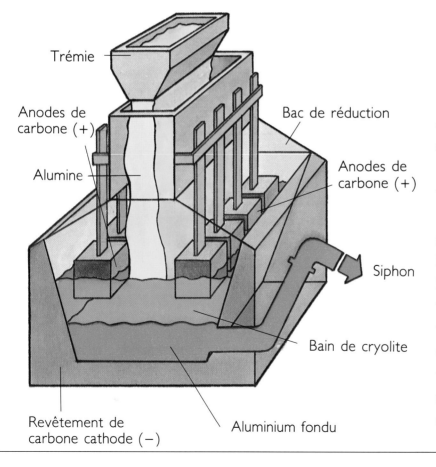

Trémie

Anodes de carbone (+)

Alumine

Bac de réduction

Anodes de carbone (+)

Siphon

Bain de cryolite

Revêtement de carbone cathode (−)

Aluminium fondu

L'alumine dissoute (oxyde d'aluminium) et la cryolite (autre composé d'aluminium) sont versées dans un bac de réduction. L'alumine est composée de particules d'aluminium à charge positive et de particules d'oxygène à charge négative. Lorsque l'électricité traverse l'ensemble, l'oxygène se dirige vers les particules positives — les anodes —, tandis que l'aluminium se dépose sur les particules négatives — les cathodes. L'aluminium pur peut alors être siphonné.

14

L'aluminium pur est obtenu par électrolyse

Les cloches sont habituellement faites de bronze

# LE CUIVRE ET SES ALLIAGES

Le cuivre est un métal connu depuis très longtemps. On le trouve parfois à l'état pur mais aussi associé à divers autres minerais.

Le cuivre est un excellent conducteur de chaleur et il sert notamment à fabriquer des poêlons. Conducteur le plus économique de courant, il est utilisé dans la confection de câbles électriques. Comme il résiste bien à la corrosion, on en fait des canalisations d'eau domestiques. Une des qualités principales de ce métal: mélangé à d'autres métaux, il forme divers alliages plus résistants que le cuivre pur. Vous en trouverez ci-dessous quelques exemples.

Le laiton, obtenu par l'alliage cuivre-zinc, est utilisé pour des boutons et des pièces de machines. Le bronze, alliage cuivre-étain, sert à couler des cloches et des statues. Cuivre et nickel donnent le cupro-

**CUIVRE**

nickel dont on frappe les pièces de monnaie.
Zinc et étain, additionnés au cuivre, produisent le bronze industriel des accessoires de navires, comme les chaînes d'ancres.

+ Zinc      + Étain      + Nickel      + Étain et Zinc

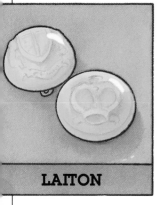

**LAITON**

**BRONZE**

**CUPRONICKEL**

**BRONZE INDUSTRIEL**

# LE MERCURE, CE MÉTAL LIQUIDE

De couleur argentée, le mercure est le seul métal qui reste liquide à la température ordinaire. Il se solidifie à − 39°C. On le surnomme souvent «le vif argent» pour la façon curieuse qu'il a de couler. Sa forte densité a été exploitée dans le baromètre.

Comme les autres métaux, le mercure se dilate à la chaleur et se rétracte au froid mais il est particulièrement sensible aux changements de température, même les plus faibles. Aussi l'utilise-t-on couramment dans les thermomètres.

La plupart des métaux se dissolvent dans le mercure pour former des alliages appelés «amalgames». Les dentistes emploient des amalgames d'or ou d'argent pour obturer les dents cariées.

Le mercure du thermomètre indique les moindres écarts de température

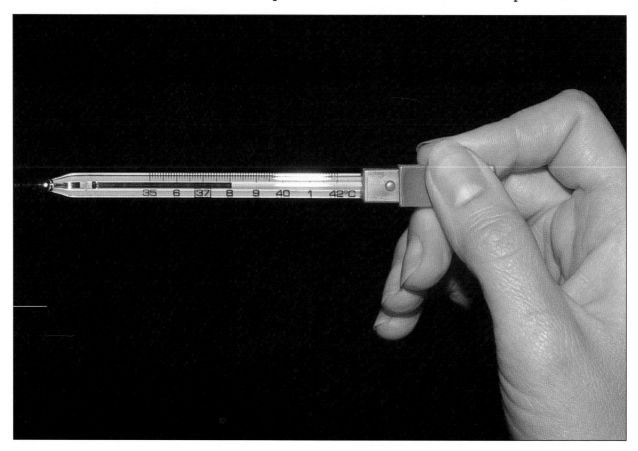

De puissantes lampes à vapeur de mercure éclairent les stades de football

# LES MÉTAUX PRÉCIEUX

L'or, l'argent et le platine sont des métaux à la fois beaux et rares. Aussi sont-ils fort appréciés mais utilisés en petites quantités, principalement en bijouterie. L'or peut également être laminé en feuilles très minces ou tréfilé; on s'en sert pour la décoration d'édifices, de plafonds et de lambris. L'argent est aussi utilisé en décoration, pur ou en alliage avec d'autres métaux.

Mais les métaux précieux ont d'autres propriétés importantes. L'or est un excellent réflecteur de la lumière et de la chaleur. Une fine couche d'or protège les navettes spatiales contre l'intensité des rayonnements solaires. De tous les métaux, l'argent est le meilleur conducteur d'électricité; on l'emploie dans les circuits des ordinateurs. Le platine sert, dans l'industrie, à activer des réactions chimiques.

Un orfèvre à l'œuvre

L'or en lingots est emmagasiné dans des chambres fortes

# LE FAÇONNAGE DU MÉTAL

Regardons autour de nous les objets métalliques: un vélo, une clef ou une cuiller. Chacun d'eux a une forme particulière.

Quand il est raffiné, le métal est fourni en lingots. Il doit alors être transformé pour donner des produits utiles. Il y a différentes façons d'y parvenir. Certains métaux, comme le cuivre et l'or, peuvent être travaillés à froid. D'autres, comme l'acier, sont beaucoup plus durs et ne sont façonnés que chauffés au rouge. On peut aussi agglomérer le métal en poudre en le pressant dans des moules chauffés. Cette technique est utilisée pour fabriquer des aimants. Les dessins ci-dessous montrent plusieurs autres procédés utilisés en métallurgie.

**TRAVAIL A CHAUD**

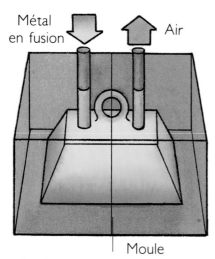

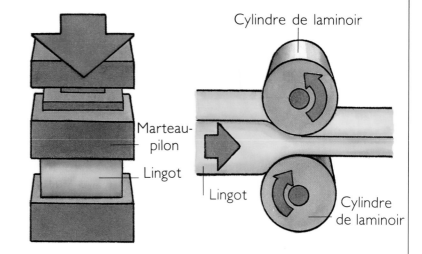

### Coulage
Le métal en fusion est versé dans un moule où il se solidifie. Le moule est ensuite mis en morceaux et la pièce solidifiée en est aussitôt retirée.

### Forgeage
Un lingot chauffé au rouge est modelé au marteau-pilon. D'ordinaire, le marteau et l'enclume portent chacun la moitié d'un moule, une «matrice».

### Laminage
Un lingot chauffé au rouge passe et repasse entre les cylindres du laminoir. Il s'allonge et s'amincit comme la pâte sous le rouleau.

Découpe d'un rail dans une coulée continue d'acier

## TRAVAIL A FROID

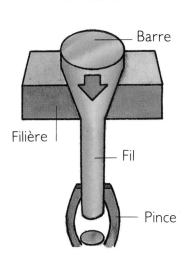

Barre

Filière

Fil

Pince

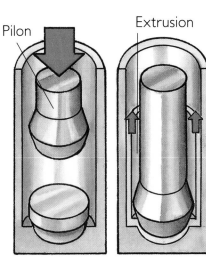

Pilon

Extrusion

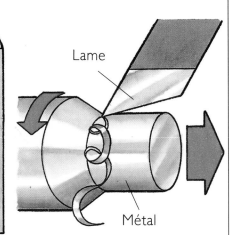

Lame

Métal

### Tréfilage

Une barre d'acier trempé est forcée à travers une série de filières dont les sections sont de plus en plus étroites. On obtient ainsi un long fil d'acier.

### Extrusion

Un alliage de plomb mou est battu à coups de pilon au fond d'un cylindre. Il reflue vers le haut, formant un tube à paroi fine.

### Ajustage

Le métal façonné doit être parfois fini au tour. Solidement fixée, la pièce tourne, tandis qu'une lame dure et affûtée l'ajuste.

23

# DÉCOUPES ET ASSEMBLAGES

Certains objets en métal sont réalisés en une seule pièce. D'autres, de grandes dimensions ou de formes compliquées, sont faits de plusieurs éléments assemblés. Ceux-ci peuvent être découpés au chalumeau oxyacétylénique dans lequel les gaz — l'oxygène et l'acétylène — brûlent ensemble à plus de 3 000° C. Cette chaleur est suffisante pour découper l'acier en le faisant fondre. Les lasers aussi accumulent la chaleur pour «chantourner» le métal avec rapidité et précision.

On peut assembler des éléments métalliques au moyen d'écrous et de boulons. Mais ceux-ci ont tendance à se desserrer et manquent d'élégance quand l'objet est petit. Les soudures autogène, hétérogène, et le rivetage sont des procédés plus fiables pour joindre deux pièces.

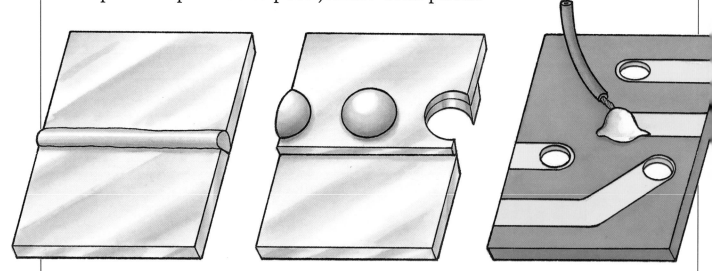

### Soudure autogène
Un chalumeau à gaz peut être utilisé pour fondre les bords de deux pièces qui fusionnent alors avec l'adjonction de métal fondu de même composition.

### Rivetage
Le rivet est chassé dans des trous pratiqués dans les deux pièces superposées. L'excédent du rivet est aplati violemment à coups de marteau pour fixer l'ensemble.

### Soudure hétérogène
Pour réunir de petits éléments métalliques, on applique à la jointure un alliage fondu d'étain, d'antimoine et de plomb. Les pièces sont ainsi soudées l'une à l'autre.

24

Découpe d'une tôle de métal

# HISTOIRE D'UNE BOÎTE DE MÉTAL

1. LA BAUXITE EST EXTRAITE D'UNE MINE À CIEL OUVERT.
2. L'ALUMINIUM OBTENU PAR LE TRAITEMENT DE LA BAUXITE EST FAÇONNÉ EN ROULEAUX DE TÔLE.

9. BOÎTES ET COUVERCLES SONT ENVOYÉS À LA FABRIQUE DE BOISSON, DÉCHARGÉS ET MIS SUR UNE COURROIE TRANSPORTEUSE.
10. BOISSON CONCENTRÉE ET EAU GAZEUSE SONT MÉLANGÉES. DES MILLIONS DE BOÎTES SONT REMPLIES CHAQUE JOUR.
11. AVANT SA FERMETURE, ON CONTRÔLE SI LA BOÎTE CONTIENT LA QUANTITÉ PRÉVUE.

3. DANS LA FABRIQUE DE BOÎTES, CES ROULEAUX SONT ENGAGÉS DANS LA CHAÎNE DE FABRICATION. 4. LES BOÎTES SONT EMBOUTIES DANS LA TÔLE. 5. APRÈS FINITION DE LA BOÎTE, LE NOM DE LA FIRME EST IMPRIMÉ SUR L'EXTÉRIEUR. 6. UNE LAQUE PROTÈGE L'INTÉRIEUR. 7. ANNEAU D'OUVERTURE ET COUVERCLE SONT FABRIQUÉS À PART. 8. BOÎTES ET COUVERCLES SONT PRÊTS.

12. LES BOÎTES SONT EXPÉDIÉES VERS LES POINTS DE VENTE.

La carte ci-dessous montre la localisation des principales mines exploitées un peu partout dans le monde. Les gisements de fer sont immenses. Le plus important, celui de Kursk, à 500 km au sud de Moscou, est estimé à 10 trillions de tonnes de minerai. D'autres grands gisements sont situés au sud de l'Oural, en Amérique du Nord et en Australie. Les deux minerais les plus riches en fer sont la magnétite noire et l'hématite rouge. Plus de 600 millions de tonnes de fer sont produites chaque année.

Le principal minerai d'aluminium est la bauxite. D'une teneur moindre que le minerai de fer, sa transformation est plus

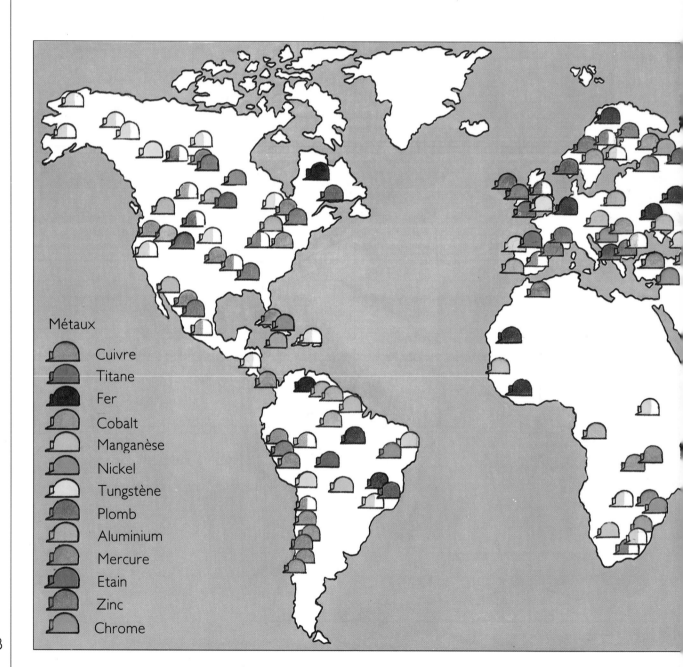

Métaux

- Cuivre
- Titane
- Fer
- Cobalt
- Manganèse
- Nickel
- Tungstène
- Plomb
- Aluminium
- Mercure
- Etain
- Zinc
- Chrome

coûteuse. Les plus grands gisements de bauxite sont situés à Weippa, dans le Queensland australien (25 p.c. de la production mondiale), au Brésil, à la Jamaïque et dans l'ouest de l'Australie.

Le «copperbelt» — la ceinture de cuivre — Zambie-Zaïre est une des plus grandes réserves du monde.

## La croûte terrestre

Six métaux — aluminium, fer, calcium, sodium, potassium, magnésium — constituent 24 p.c. de la croûte terrestre; oxygène et silicium en constituent 74 p.c.; les autres éléments représentent les 2 p.c. restants. L'aluminium atteint un pourcentage plus élevé que le fer.

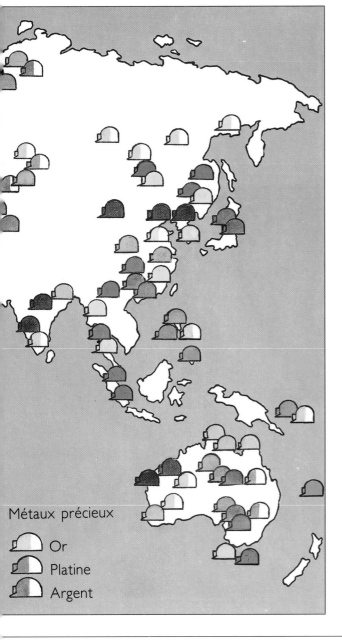

Métaux précieux

- Or
- Platine
- Argent

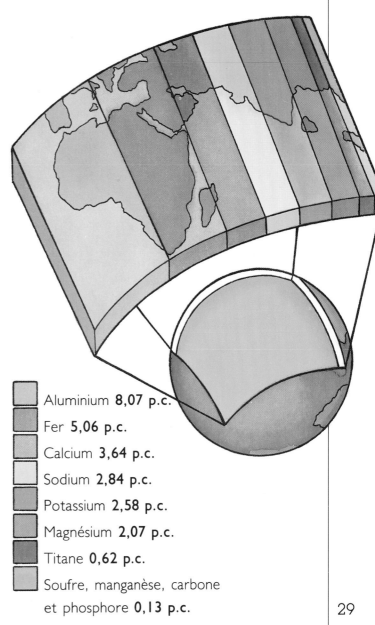

Aluminium **8,07 p.c.**

Fer **5,06 p.c.**

Calcium **3,64 p.c.**

Sodium **2,84 p.c.**

Potassium **2,58 p.c.**

Magnésium **2,07 p.c.**

Titane **0,62 p.c.**

Soufre, manganèse, carbone et phosphore **0,13 p.c.**

# FICHE TECHNIQUE 2

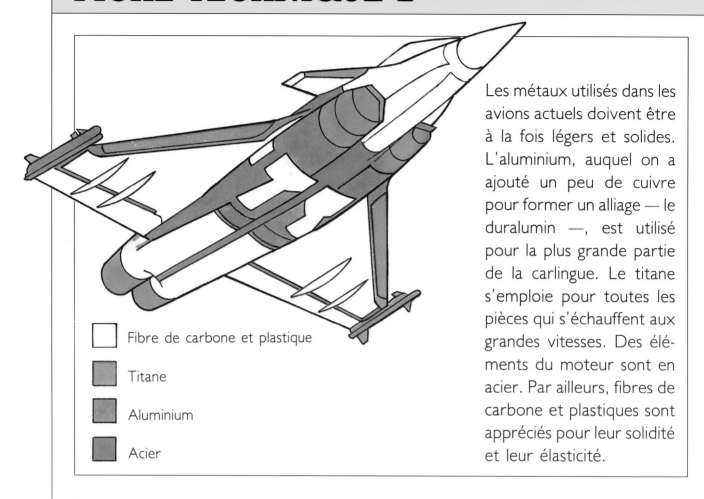

Les métaux utilisés dans les avions actuels doivent être à la fois légers et solides. L'aluminium, auquel on a ajouté un peu de cuivre pour former un alliage — le duralumin —, est utilisé pour la plus grande partie de la carlingue. Le titane s'emploie pour toutes les pièces qui s'échauffent aux grandes vitesses. Des éléments du moteur sont en acier. Par ailleurs, fibres de carbone et plastiques sont appréciés pour leur solidité et leur élasticité.

Fibre de carbone et plastique

Titane

Aluminium

Acier

Chaque métal a ses caractéristiques propres. Quand un fil de tungstène est traversé par un courant électrique, il rougit mais ne fond pas; ceci convient aux ampoules d'éclairage. Les fourchettes doivent être bon marché mais solides et ne pas rouiller: l'acier inoxydable remplit ces conditions. Essayons de trouver pour quelle raison tel métal a été choisi pour fabriquer les objets ci-contre.

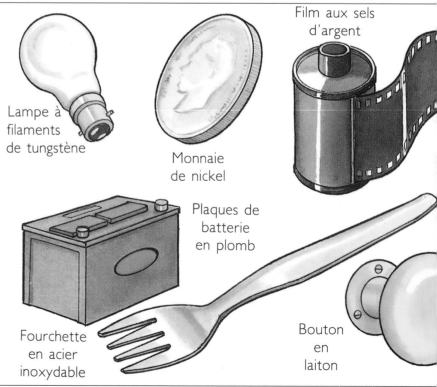

Lampe à filaments de tungstène

Monnaie de nickel

Film aux sels d'argent

Plaques de batterie en plomb

Fourchette en acier inoxydable

Bouton en laiton

## Les métaux dans une voiture

Une auto est faite d'une grande variété de métaux. La carrosserie est constituée de divers alliages d'acier. La batterie contient des plaques de plomb; tous les câbles sont en cuivre, les garnitures en acier chromé ou inoxydable. Les poignées des portes sont en alliage de zinc chromé, les roues en acier ou en alliage d'aluminium et de magnésium. La pompe à huile et même certains moteurs sont en aluminium.

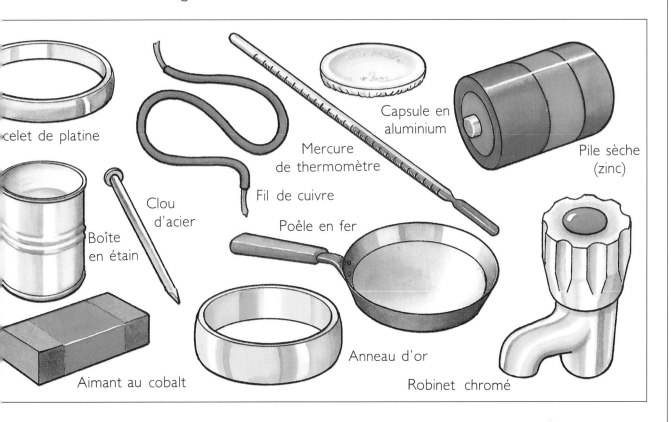

celet de platine

Boîte
en étain

Clou
d'acier

Aimant au cobalt

Fil de cuivre

Mercure
de thermomètre

Poêle en fer

Anneau d'or

Capsule en
aluminium

Pile sèche
(zinc)

Robinet chromé

# GLOSSAIRE

**Alliage**
Produit métallique obtenu en incorporant à un métal un ou plusieurs éléments.

**Anode**
Elément d'un circuit électrique relié à la borne «positif» d'arrivée de courant.

**Baromètre**
Instrument pour mesurer la pression de l'atmosphère.

**Carotte**
Echantillon cylindrique de terrain prélevé par une sonde mécanique.

**Cathode**
Elément d'un circuit électrique relié à la borne «négatif» d'arrivée de courant.

**Chantourner**
Découper une pièce de métal suivant un profil donné.

**Conducteur**
Produit qui transmet facilement la chaleur ou le courant électrique.

**Fiable**
Se dit notamment d'un procédé dans lequel on peut avoir confiance.

**Laser**
Appareil qui produit un intense rayon de lumière.

**Teneur**
Proportion du métal contenu dans un volume de roche ou de minerai.

# INDEX

PRINTED IN BELGIUM BY
proost
INTERNATIONAL BOOK PRODUCTION